In

Gedichte und Gedanken

Juliane Schmelzer

In Waage

Gedichte und Gedanken

Bibliografische Information der Deutschen Nationalbibliothek:
Die Deutsche Nationalbibliothek verzeichnet diese Publikation in der Deutschen Nationalbibliografie; detaillierte bibliografische Daten sind im Internet über http://dnb.dnb.de abrufbar.

TWENTYSIX – Der Self-Publishing-Verlag
Eine Kooperation zwischen der Verlagsgruppe Random House und BoD – Books on Demand

Herstellung und Verlag:
BoD – Books on Demand, Norderstedt

ISBN: 978-3-740-76519-4

Text: Juliane Schmelzer
Cover: Susann Rückert

Vorwort

Dieses Buch ist etwas Besonderes. Mein Schatz, den ich über 20 Jahre gesammelt und gehütet habe. Nun möchte ich ihn teilen mit all denjenigen, die Lyrik lieben, die sich in kleine Zeilen hineinversetzen können, die Reime mögen, die gerne interpretieren und die vor allem hineintauchen in Wahrheiten, die das Leben schreibt.

***

Ein paar Worte zu mir selbst sollen aber auch nicht fehlen. Ich schreibe seit vielen Jahren, nicht nur Gedichte, auch Kurzgeschichten und Romane. Meine beiden Liebeskrimis »Im Fokus der Vergangenheit« und »Im Fokus der Liebe« habe ich 2018 und 2019 veröffentlicht. Im Moment schreibe ich an einem Liebesroman, dessen Veröffentlichung für Sommer 2020 geplant ist. Ich bin verheiratet und Mutter eines Sohnes. Ich liebe Katzen und meinen Garten und im realen Leben arbeite ich im Öffentlichen Dienst. Weitere Informationen unter:

www.juliane-schmelzer.de
www.instagram.com/julianeschmelzer/
www.facebook.com/Autorin-Juliane-Schmelzer

Inhaltsverzeichnis

Das Leben

In Waage

Jedes Tal hat einen Berg
Jedes Richtig ein Verkehrt
Jedes Dunkle wird mal hell
Alles dreht sich oft zu schnell

Jedes Böse wird mal gut
Jede Angst verlangt viel Mut
Jedes Wagnis bringt auch Glück
Und jeder Weg führt auch zurück

Jedes Lächeln bringt auch Trauer
Jedes Tief ist nicht von Dauer
Jeder Regen bringt auch Sonne
Und das Leben ist voll Wonne

In jedem Hass da steckt auch Liebe
Jeder Stillstand kennt auch Triebe
Jedes Gestern hat ein Morgen
Oft verschwinden dann die Sorgen

Jedes Handeln kennt zwei Seiten
Jede Enge hat auch Weiten
Jeder Kummer besitzt auch Freude
Und das Leben, das ist Heute

Nicht allein

Nimm nichts im Leben so einfach hin
Denn wirklich alles hat seinen Sinn
Nicht jeder Tag ist wunderschön
Es werden auch viele schlechte vergeh'n

An solchen sollte man daran denken
Es gibt Leute, die einen zum Trost hin lenken
Auch ohne Gegenleistung, einfach so
Machen sie dich wieder froh

Wenn die Sonne auch nicht immer scheint
Und dein Herz vor Schmerzen weint
Denke an die schönen Zeiten
Lass dich von deinen Freunden leiten

Zwar kannst nur du allein
Letztendlich der Motor für dein Leben sein
Doch sie können dich treiben, sie hören dir zu
Lassen dich nicht einfach so in Ruh'

Zuzusehen wie jemand leidet
Und den Weg zu seinen Gedanken meidet
Ist schlimmer als Tränen zu trocknen und
Wunden zu heilen
Denn man wird selbst mit weinen

Mit jedem Tag auf dieser Welt
Strebt man nach dem großen Geld
Was einen nicht wirklich glücklich, vielleicht
nur etwas sich'rer macht
Doch bedenkt man dabei nicht, auch so wird es
jeden Abend Nacht

Und dann sprechen die Gedanken
Lassen alles in dir wanken
Packen dein ganzes Wesen beim Schopf
Und gehen nicht mehr aus deinem Kopf

Sie zu bändigen ist furchtbar schwer
Damit gehen Leiden einher
Doch dazu ist man nicht allein
So sollte es zumindest sein
Denn es gibt Leute, die sind bestrebt
Dass die Sonne in deinen Augen wieder lebt

Die richtige Zeit

Es gibt für alles im Leben eine bestimmte Zeit
Zeit für die Liebe
Zeit für Trauer
Zeit der Verzweiflung
Zeit voller Geborgenheit
Und Zeit, in der man den Boden unter den
Füßen verliert

Wir empfinden diese Zeiten immer
unterschiedlich
Zeitlich unterschiedlich
Unterschiedlich an Intensität
Manche Zeiten lassen uns zusammen brechen
Manche hingegen erstarken
In manchen Zeiten sind wir nicht mehr
wir selbst
Und es gibt Zeiten, die wollen wir lieber
vergessen
Wieder andere wollen wir gar nicht erst erleben
Und dann gibt es Zeiten, in denen uns das
Glück packt
Und wir wünschten, dass diese nie zu Ende
gehen

Wir wandeln so dahin
Mit der Zeit und durch die Zeit
Keiner weiß wann welche Zeit gekommen ist
Um glücklich zu sein
Um Trauer zu spüren
Um wütend zu werden
Oder um zu lächeln

Wir wissen nicht, wann die richtige Zeit für
bestimmte Dinge kommen wird
Aber wenn es passiert
Dann spüren wir

ES IST DIE RICHTIGE ZEIT

Manchmal

Manchmal passieren im Leben Dinge,
Von denen man nicht einmal wagte zu träumen

Manchmal passieren aber auch Träume,
Die man nicht für möglich hielt

Manchmal denkt man, jetzt ist alles gut
Und dann wird man zurückgeschleudert

Manchmal ist man ganz tief unten
Und plötzlich steht man wieder auf

Manchmal kann man planen und denken
Und denken und planen
und kommt zu keinem Ergebnis

Und manchmal ist man ganz spontan
Und das Leben passiert einfach

Sackgasse

Oft reicht mein Verstand nicht aus
Um meine Gedanken zu Ende zu bringen
Ich stecke fest
Wie in einer Sackgasse
Nichts bringt mich weiter
Nicht der eine, nicht der andere Gedanke
Und so bleibt mir nur
Mich umzudrehen
Und zum Anfang zurückzukehren

Trennung

Geboren und getrennt werden –
von der Mutter
Wachsen und sich trennen –
von der Lieblingshose
Lieben und sich trennen –
vom ersten Freund
Leben und auf Wiedersehen sagen –
zu den Schulfreunden
Glück empfinden und sich verabschieden –
von einem besonderen Menschen
Lachen und verlassen werden –
von denen, die gingen
Sterben und sich trennen –
vom Leben

Weit entfernt von perfekt

Wunderschön und lupenrein
Wie ein Diamant, so soll man sein
Rechts und links ganz wunderbar
Schöne Haut und tolles Haar
Tough und lustig immerzu
Niemals zu bringen aus der Ruh'
Stets gut gelaunt und frei von Furcht
Zieh' den Alltag einfach durch
Doch so einfach, wie es scheint
Es das Leben niemals meint
Da ist ein Huckel, da ein Fleck
Und manchmal gehen Schmerzen
nicht so einfach weg
Da bist du müde und geschafft
Und die Grippe hat dich niedergerafft
Dann du lernst tagaus, tagein
Weit entfernt von perfekt zu sein

Es ist - Das Schreiben

Es ist wie Fliegen, hoch hinaus
Es ist wie Schwimmen, mit dem Strom
Es ist wie Laufen, auf gutem Untergrund
Es ist wie Schweben, am hohen Himmelszelt
Es ist meine Welt

Es ist befriedigend, weil selbst gemacht
Es ist erfüllend, weil selbst ausgedacht
Es ist zum Träumen, weil immer da
Es ist real, ganz nah

Es ist der Sonnenaufgang nach einer dunklen Zeit
Es ist in meinem Herzen die Heiterkeit
Es ist Leben, es ist Spaß
Und immer entsteht dabei etwas

Es ist mein Hobby und mein Beruf
Es ist Berufung und meines Herzens Ruf
Es ist Lachen wie verrückt
Es ist pures Glück

Es ist die Freude in den Menschen
Es ist die Hingabe und das Schenken
Es ist der Himmel und noch mehr
Es ist die Freude hinterher

Es ist, wie es ist und es ist immer schön
Es hilft, dass Sorgen tatsächlich vergeh'n
Es ist und es wird immer sein
Das Schreiben ist – und das ist fein

Spannung

Spürst du die Spannung, die knisternd den
Raum durchstreift?
Wie fühlt es sich an?
Wie ein unentwirrbarer Knoten in deinen
Gedanken?
Wie ein Kloß in deiner Brust?

Angst

Du hast Angst
Vor dem Unbekannten, dem Neuen,
vielleicht Gefährlichem

Entscheidung

Alles wird entschieden
Du wirst es tun
Wenn sich die Spannung mit großen
leuchtenden Blitzen endlich entlädt

Doch bis dahin wirst du dich fragen
Was du tun kannst

Uneins

Manchmal möchte ich einfach beweisen,
wie stark ich sein kann
Und fühle mich einfach nur schwach

An anderen Tagen möchte ich zeigen,
dass ich deiner Hilfe bedarf
Und doch bin ich stark

Es ist der Drang in mir, das zu bekommen,
was ich nicht haben kann
Der mich Dinge tun lässt, die ich nicht verstehe

Liebe geht

Gebrochenes Herz

Du hast dich getrennt von mir
bist einfach gegangen
Hast mein Herz gebrochen
und alles hat sich verfangen

Die Welt ist aus den Fugen
und ich selbst bin es auch
Ich weiß nicht was zu tun nun ist
es zeigt sich ein Brennen in Brust und im Bauch

Ich bin allein, alleine mit mir
stehe im Tal meiner Welt
Und schaue mir zu
wie plötzlich alles zerfällt

An manchen Tagen fällt es mir schwer
dir überhaupt noch zu vertrauen
Und dann will ich wieder umso mehr
eine geordnete Zukunft mit dir bauen

Es war ein Traum von mir
vielleicht auch einer von uns
Doch irgendwann verloren wir
und Liebe war nur noch eine Kunst

Das mit uns ist vorbei
das Scheitern klar
Es ist zu Ende gegangen
Was einmal so schön war

Keine Worte

Es gibt keine Worte für meine Gefühle
Kein Richtig, kein Falsch
Ich schwebe im Raum
Und alles ist kalt

Ich versuche zu reden
Und doch kommt nichts raus
Es steckt in mir drin
Und saugt mich aus

Du bist nicht mehr hier
Kein Wort konnte das ändern
Es gibt nun kein WIR mehr
Ich konnt's nicht verhindern

Es geht um die Liebe, die auch mal vergeht
Es geht um Zusammenhalt,
dass man zu sich steht
Es geht um gehört werden
und um's „Einander sehen"

Doch es gibt keine Worte, die alles versteh'n

Für immer

Du warst mein Halt, mein Leben
Hast mir alles gegeben
Wir waren einst eins
Du warst meins und ich war deins

Nun bist du fort
An einem anderen Ort
Aus meinem Herzen gegangen
Und ich bin gefangen

Ich bin nun allein
Es muss wohl so sein
Die Zukunft schweigt
Mir gar nichts mehr zeigt

Es zu begreifen fällt schwer
Denn ich vermisse dich so sehr
Es muss erst noch in meinen Kopf
und mein Herz hinein
Dass ich nun für immer werde
getrennt von dir sein

Einsamkeit

Es gab eine Zeit, in der das Leben erfüllt war
Erfüllt von Liebe, erfüllt von Hoffnung,
erfüllt von Glück

Doch irgendwann, keine Ahnung wann genau
War das Leben plötzlich unerfüllt
Es fehlte das Glück –
es schlich sich hinaus ganz sacht
Es verschwand die Liebe –
schleichend und ohne beachtet zu werden
Und irgendwann ging auch die Hoffnung – die
Hoffnung, dass alles wieder erfüllt sein würde

Und dann war da Einsamkeit und Leere,
Frust und Wut und Ohnmacht
Die Leere kam zuerst –
nistete sich ein und blieb
Und dann kamen Angst und die Wut schrie
laut, zeigte sich aber nie
Und schließlich die Ohnmacht,
die blieb und blieb
Und nun ist es die Einsamkeit,
die Erfüllung ersetzt

Einst und Jetzt

Einst sagtest du zu mir
Bitte bleib
Und ich antwortete dir
Auf jeden Fall

Dann gingen wir ein Stück gemeinsam
Und lernten das Leben kennen
Fanden das Glück, gründeten eine Familie
Und dann

Dann sagtest du zu mir
Ich geh
Und ich antwortete dir
Bitte bleib

So viele Fragen

Jeden Tag das gleiche Spiel
Fragen über Fragen
Niemals komme ich zum Ziel
Kann es kaum ertragen

Es ist die Frage nach dem Warum
Danach, wie konnte das gescheh'n?
Wieso ist es dazu gekommen?
Warum haben wir es nicht geseh'n?

Die Fragen türmen sich hinauf
Hinein in meine Seele
Und sie hören leider gar nicht auf
Wohin ich auch immer gehe

Wer ich bin

Das Leben was war, ist vorbei
Und wie ich war, gibt es nicht mehr
Teil eines Ganzen, die zweite Hälfte, alles leer

Stehe nun hier zwischen den Welten
Vergangenheit und Zukunft sind vermischt
Und noch zeigt sich nicht mein wahres Gesicht

Muss neu definieren mein Leben, mein Ich
Wer war ich, wer bin ich, wer will ich sein
Dies ist eine Aufgabe, die nimmt mein ganzes
Denken ein

Die Zukunft ist dunkel und ohne Definition
Ich stehe im Leben und weiß nicht wohin
Ich muss jetzt erst lernen, wer ich eigentlich bin

Ruhe

Die Sehnsucht nach Entspannung ist groß
Nach Ruhe umso größer
Geborgenheit und Schutz sind so rar
Und kein Plätzchen ist mehr sicher

Die böse Welt soll draußen bleiben
Soll keine Herausforderungen stellen
Und doch tut sie es
Jeden Tag

Weil sie sich nämlich weiter dreht
Und ich mich mit ihr
Und genau das ist es, was Ruhe gibt
Geborgenheit und Schutz

Ein gewisses Maß an Unendlichkeit
Das Wissen die Ruhe irgendwann zu finden
Nicht von außen
Sondern in einem selbst

Das Prinzip Hoffnung

Niemals gebe ich es auf
Das Leben positiv zu seh'n
Auch wenn es schwer erscheint
Auf eignen Beinen jetzt zu steh'n

Es ist ein einfaches Prinzip
Es wird auch funktionier'n
Auch wenn ich noch nicht sicher weiß
Kann ich es doch probier'n

Es ist die Hoffnung meines Herzens
Es ist wie positive Energie
Nicht aufgeben und neu anfangen
So sicher wie noch nie

Lass los

Loslassen ist die Sache, die noch fehlt
Es ist das Ding, was in mir schwelt
Es beenden und Frieden finden
Alle negativen Gedanken sollen verschwinden

Doch wie lässt man jemanden geh'n,
der jahrelang ein Teil von einem war?
Wie kann man übersteh'n,
was immer da auch war?

Alles was ich wollte

Alles, was ich wollte, war Liebe
Alles, was ich wollte, war Glück
Alles, was ich wollte, war, dass du mich siehst –
ohne ein Zurück

Alles, was ich hatte, war Leere
Alles, was ich hatte, war Schmerz
Alles, was ich hatte, war nicht das, was ich
wollte – und brach mir das Herz

Alles, was ich habe, ist mich
Alles, was ich habe, ist in mir
Alles, was ich habe, wird mich immer
weiterführen – ohne dich

Märchen

Es war einmal
So fangen Märchen an
Es war einmal
Und dann kommt Liebe dran
Es war einmal
Das Leben mit uns zwei'n
Es war einmal
So wird es nun mal sein
Es war einmal
Die Liebe ist verschwunden
Es war einmal
Vielleicht haben wir was anderes gefunden
Es war einmal
Und nun tut es recht weh
Es war einmal
Und alles, was ich seh', ist
Es war einmal
Und wird nie mehr so sein
Das Leben ist kein Märchen
Es holt uns immer ein

Glitzernder Schmerz

Es glitzerten Sterne am Himmel
Sie waren zum Greifen nah
Auf den Straßen ein schreckliches Gewimmel
Und du warst nicht mehr da
Du bist gegangen, ohne ein Wort, einen Gruß
Doch du hältst mein Herz noch immer gefangen
Und ich spüre noch immer deinen Kuss
Du hast mich allein gelassen
Auf den kalten Straßen im Schnee
Mit meinem Kummer, meinen Gedanken und den Sternen
Das tut sogar heute, nach Jahren, noch weh

Unverständnis

Lippen – Worte ohne Laut
Augen – Blicke ohne Licht
Zarte Töne, Farben
Nehmen alle Sicht
Sah diese Augen so blau
Lippen formten mich
Sah Liebe in deinem Gesicht
Und diesen ganz besond'ren Schmerz
Den ich zwar sehe
Den ich aber nicht verstehe

Wille

Wenn ich gewollt hätte
Dann wäre mehr aus uns geworden

Wenn ich gewollt hätte
Dann wäre ich frei gewesen

Wenn ich gewollt hätte
Dann hättest du eine Chance gehabt

Wenn ich gewollt hätte
Dann wäre ich vielleicht für einige Zeit
glücklicher gewesen

Dass ich nicht gewollt habe
Ist aber besser für dich und mich gewesen

Zauber

Es war der Zauber einer schönen Zeit
Der uns verbindet bis in alle Ewigkeit

Es ist die Gewissheit, dass es nicht erlaubt
Die uns bei jedem Wiedersehen die Sinne raubt

Es war deine Art mit Menschen umzugeh'n
Deine Stärke alles positiv zu seh'n

Die Dunkelheit war immer unser Glück
Hier gab es kein Zurück

Der einzige Stern am nächtlichen Firmament
Doch der Lauf der Welt hat uns getrennt

Wir sahen Wolken am Himmel schweben
Doch jeder in seinem eigenen Leben

Es war ein Abschied für uns voller Schmerz
Es tat so weh in meinem Herz

War wie leergesaugt und ausgebrannt
Hab' nicht einmal Tränen gekannt

Würde alles dafür geben
Um mich noch einmal in deine Arme zu legen

Um noch ein letztes Mal zu spüren
Den Zauber unserer gemeinsamen Zeit

Um ihn dann sicher zu verschnüren
Bis in alle Ewigkeit

Sternchen

Hallo Sternchen leuchtest du?
Hast du noch die Kraft dazu?
Kommst du nicht von weit, weit her?
Weintest du nicht sehr?

Mein Stern im Leben
Hast mir so viel gegeben
Machtest mir Mut
Warst immer zu gut

Hab' viele Fehler begangen
War in meinen Träumen gefangen
Konnte weder lieben noch lachen
Und du konntest nicht viel machen

Was soll ich tun? Was steht mir zu?
Möchte, dass du mir verzeihst
Und mit mir in aller Ruh'
Durch das Weltall kreist

Liebe lebt

Liebe

Eine Liebe zu pflegen
Sie immer zu hegen
Sie aufrecht zu halten –
Ist schwer

Und schwer ist es auch
Konzentriert zu sein
Sich immer zu freu'n
Lust zu empfinden
Und alles zu begründen
Fröhlich zu schauen
Und immer zu vertrauen
Niemals zu zweifeln
Und alles begreifen
Um das Glück zu erfahren
Und sich zu offenbaren

Eine Liebe zu halten
Trotz aller Gewalten
Sie auszukosten und zu pflegen –
Ist das Schwerste im Leben

Du bist alles für mich

Du bist alles, was ich brauche
Du bist immer für mich da
Du bist alles, was ich wollte
Du siehst die Welt stets richtig klar

Du bist die Ruhe vor dem Sturm
Du bist die Sonne nach dem Regen
Du holst mich raus aus meinem Turm
Du bist dafür und ich dagegen

Du bist die Leidenschaft, die mich umfängt
Du bist der Liebe kühner Ritter
Du bist das Licht, was mich ablenkt
Du bist süß und ich so bitter

Du bist der Regenbogen, schillernd bunt
Du bist alles in meiner Welt
Du bist mein Herz und mein Vagabund
Du bist das, was mich am Leben hält

Das schönste Glück

Ein Lächeln von dir
Gewunken mit den Lidern
Lässt das Herz in mir
Den Blick sofort erwidern

Ein Kuss von dir
Gehaucht mit deinen Lippen
Lässt die Seele in mir
Um nach mehr Liebe bitten

Ein Wort von dir
Gesprochen mit deinem Herzen
Lässt meinen Körper sofort
Vergessen alle Schmerzen

Die Liebe von dir
Geschenkt mit Leib und Seele
Lässt meinen Verstand endlich wissen
Dass ich niemals von dir gehe

Tausende

Tausend Tränen sind ein Meer
Tausend Soldaten sind ein Heer
Tausend Worte sind ein Buch
Tausend Küsse habe ich gesucht
Du hast sie mir gegeben
Du bist das Beste in meinem Leben

Unendliches Licht

Es war in einer Zeit
In der mein Herz verloren war
Wo mein Wille zerbrach
Und mein Verstand zu existieren aufhörte

Es war eine Zeit
In der Nebel meine Gedanken verhüllte
Und mir Angst machte
Finsternis umwogte mich

Doch da war ein Tunnel
Und am Ende des Tunnels war ein Licht
Dieses Licht warst du
Du zogst mich heraus aus diesem dunklen Loch
Und gabst mir etwas,
was ich nur mit einem Gefühl höchsten Glücks
umschreiben kann

Worte werden unbrauchbar
Nur Nähe zählt und Wärme
Und dieses ganz besond're Licht
Was mich dazu bringt
Dir meine Liebe zu schenken

Glück

Nichtssagend war meine Auffassung von Glück
Und Liebe war nur ein Begriff
Dann traf ich dich
Und nicht länger musste ich mir die
Frage stellen was Liebe ist
Ich spür' sie in mir
Und ich fühl' sie in dir
Es ist das schöne Prickeln,
wenn du mich berührst
Und wenn du mich küsst,
wandern 1.000 Blitze durch meinen Körper
Und es ist noch mehr
Du sprichst mit mir
Du hörst mir zu
Du lachst mit mir
Du bist mein bester Freund
Doch es ist noch mehr
Ein Gefühl, so unbeschreiblich stark
Es ist die Leere, wenn du nicht bei mir bist
Und die Fülle, bist du es doch
In der puren Auffassung von Glück

Millionen

Du bist für mich wie ein Licht in der Nacht
Mit Sehnsucht gemacht
Hast du mich bewacht
Ich will dich bei mir wissen
Ich will dich immer küssen
Dich an mich drücken
Mich an dir entzücken
Es brennen Lichter in mir
Wenn ich mich in dir verlier'
Es sind Flammen, die lodern
Und Geister –
Und Millionen anderer Meister

Warum?

Ich weiß nicht, warum die Erde sich um
die Sonne dreht
Warum der Mond am Himmel steht

Wieso es Kriege gibt
Warum man sich verliebt

Weshalb der Regen fällt
Und der Hund so bellt

Warum Wasserhähne tropfen
Und Hagelkörner an die Fenster klopfen

Weswegen es gibt einen Regenbogen
Und Menschen haben schon so oft
gelogen

Alles, das ist nicht in meinem Sinn
Ich weiß nur, dass ich unheimlich verliebt in
dich bin

Umschreibung

Wenn ich beschreiben müsste
Was ich für dich empfinde
Wie ich dich zärtlich küsste
Wie ich mich an dich binde

Dann würd' ich leise flüstern:

Nähe fühle ich für dich
Liebe umfänget mich
Zärtliche Gedanken durchstreifen meinen Kopf
Und deine Wärme ist der Deckel zu meinem Lebenstopf

Doch laut sage ich:

„Ich liebe dich“

Frühlingserwachen

Ich höre Musik
Sie ist laut und gut
Und ich lebe vor Glück
Bewund're meinen Mut

Bin voller Zuversicht
Freu mich auf dein liebes Gesicht
Es ist wie Frühling in meinem Körper
Wie soll ich es erklär'n?

Ich fühle mich wie neu erwacht
Aus tiefem Winterschlaf
Und habe dran gedacht
Welch Glück ich mit dir traf

Liebe wie ein Regenbogen

Meine Liebe ist wie ein Regenbogen
Schillernd bunt und strahlend schön
Grün ist die Hoffnung
Dich nie mehr zu missen
Gelb ist das Glück
Dich immer wieder zu küssen
Rot ist die Liebe
Die nie mehr vergeht
Blau ist die Treue
Die alles übersteht
Orange ist das Lachen
Das uns beide verbindet
Und Violett ist die Tiefe
Die stets in Höhen mündet
Aber das Beste an dir ist das Strahlen
auf deinem Gesicht
Ähnlich dem Regenbogen, der nie mehr erlischt

Kleiner Pfeil

Kleine Pfeile trafen mich
Sagten mir ich liebe dich
Halfen mir aus meinem Tief
Weckten mich auf während ich tief schlief
Habe geglaubt dich zu verlier'n
Konnte das nicht akzeptier'n
Aus diesem Grunde schrieb ich dann
Ein paar E-Mails dann und wann
Bin so froh, dass du es hast kapiert
Und auf meine Briefe reagiert

Verlust

Angst – jemanden zu verlieren
Panik – ihn nie wieder zu spüren
Verzweiflung – allein zu sein
Hüllt oft Herz, Seele und Gedanken ein

Jemanden zu verlieren
Ihn nie wieder zu spüren
Bedeutet:

Nie wieder mit ihm lachen
Nie wieder verrückte Dinge machen
Nie wieder mit ihm streiten
Ihn nirgendwo mehr hin begleiten
Nie wieder mit ihm die Sterne zählen
Oder den richtigen Weg verfehlen
Nie wieder bei Kerzenschein
Ganz nahe bei ihm sein
Nie wieder in seine Augen sehen
Und für ihn gerade stehen
Sich nie wieder in den Schlaf rein weinen
Aus Sehnsucht und den Ängsten,
den vielen kleinen

Nie wieder diese Spannung spüren
Die auflädt, um in eine heile Welt zu führen
Nie wieder zärtliche Worte hören
Und Geborgenheit und Glück verspüren
Nie wieder mit ihm reden
Das höchste Glück wäre dann vergeben

Diesen Jemand zu verlieren
Ihn nie im Leben mehr zu spüren
Würde bedeuten, aufzuhören zu existieren

Sternenregen

Es regnete Sterne
Ein ums andere Mal
Sie sind genauso ferne
Und auch genauso nah

Wie du für mich
Wie ich für dich
Du lässt mich oft allein
Und ich steh' da und muss dann immer
Von neuem tapfer sein

D'rum wünscht' ich
Wär' die Welt doch nicht so groß
Könnt' ich doch liegen stets bei dir
Dann bräucht' ich nicht die fernen Sterne
Und lebte immerzu im Hier

Freundschaft und Familie

Ewigkeit

Ewigkeit – ist eine Verbindung, die ewig hält
Es ist eine Freundschaft, die auch durch viele
Kilometer getrennt, nicht zerfällt

Ewigkeit – ist der Verein zweier Menschen
durch Liebe, die ein Leben lang bleibt
Sie ist die Freude in den Herzen der
Glückseligkeit

Ewigkeit – ist der erste Kuss von einem
Menschen, den man wirklich liebt
Und dem man dann für alle Zeit sein
Herz vergibt

Ewigkeit – ist die Liebe in denen, die
keinen Hass empfinden,
Die keine Scheu haben, sich zu binden

Ewigkeit – ist die Familie, die mit einem
erwächst
Und die es möglich macht, dass man wird nicht
mehr verletzt

Diese ewige Zeit, die für ein ganzes Leben
bleibt, nenne ich die – Ewigkeit

Kuschelbär

Wenn ich abends zu dir geh'
Streckst du dich mir entgegen
Deine kleinen Hände packen mich
Und ich denke: „Welch ein Segen!"

Du bist so weich und wunderbar
So süß und lieblich fein
Du wärmst mein Herz ganz sonderbar
Du bist mein Engelein

Du wirfst dich auf mich
Drückst dich fest an meine Brust
Schlingst deine Ärmchen schnell um
mich herum
Und belohnst mich mit einem dicken Kuss

Ich streiche über dein Gesicht
Die Wangen sind so weich wie Schnee
Es mir beinahe das Herzchen bricht
Wenn ich wieder geh'

Du kannst auch stur und böse sein
Kannst brüllen wie ein Bär
Doch irgendwann stellst du das Bocken ein
Bist lieblich und noch mehr

Kannst nun singen, lachen, lesen gar
Bist mein verflucht liebstes Zahlen-Genie
Doch das ist alles wunderbar
Es ist wie himmlische Magie

Die Liebe, die ich für dich hab'
Ist rein und einfach da
Sie ist so groß und niemals knapp
Und es ist alles klar

Auch Streit gehört bei uns dazu
Oft muss ich schimpfen und du weinst
Doch schnell ist auch schon wieder Ruh'
Und wir sind neu vereint

Dich in den Arm zu nehmen
Ist täglich wieder schön
Ich mag nicht daran denken
Wie schnell die Jahre doch vergeh'n

Schon bald bist du nicht mehr so klein
Dann wirst du gehen in die Welt
Doch du wirst immer in meinem Herzen sein
Bis in alle Ewigkeit

Entscheidungen

Es ist nicht meine, sondern es war deine
Ich hatte keine Wahl, kein Mitspracherecht
Ich war hilflos und ins Abseits gestellt, alleine
Vor die Tatsache; es ist ungerecht

Du hast dich entschieden
Du hast mich nicht gefragt
Nun ist es so, es ist Frieden
Und alles dazu ist gesagt

Nun bist du immer noch weit weg
Und nicht mal eben so bei mir
Die Chance ist dahin, hat mich sehr erschreckt
Doch ändern kann ich es nicht mehr

Ich habe geglaubt, du hast es gewusst
Dass ich dich bei mir haben wollte
Doch du hast dich entschieden, ganz bewusst
Für dein eigenes Leben

Du hast dich entschieden
Für den anderen Ort
Für die Welt ohne mich
Und nun bist du fort

Verzeihen

Nun ist es an mir
Dir das zu verzeih'n
Doch es fällt mir schwer
Im Inneren bei dir zu sein

Du bist so weit weg
Und machst dein eigenes Ding
Und ich bin hier
Immer noch ein Kind

Ich weiß, es muss so sein
Es ist der Natur eigener Wille
Und nun muss ich mir selbst verzeih'n
Dass ich es noch nicht bringe

Kein Kaffeeklatsch, kein Treffen mit dir
Nicht spontan, sondern nur lange geplant
Entzwei sind wir
Und mein Herz ist angespannt

Und doch ist es das, was es ist und was es muss
Was du wolltest und ich schenke dir einen Kuss
Es ist an mir uns zu verzeih'n
Was mich brachte zum Verdruss

Muttergefühle

Sind immer da
Sind immer hier
Sind stets real
Sind tiefer als wir

Fehlen sehr
Wenn sie ist weit weg
Bringen Trauer her
Und großen Schreck

Anlehnen
Reden
Schmusen
Ruhen
Alles das, das soll sie tun
Trösten
Streicheln
Lieben gar
Doch was ist, wenn sie nicht da?

Ein Loch bleibt dort
Wo sie einst war
Und kehrt sie doch zurück
Das ist das schönste Glück

Ein gewisser Jemand

Jemand, der dich sehr gut kennt
Jemand, der dir deine Fehler nennt
Jemand, den du furchtbar magst
Jemand, dem du deine Ängste sagst
Jemand, der dich nie vergisst
Jemand, der dir sagt, wie nett du bist
Jemand, der immer zu dir hält
Jemand, der dir niemals in den Rücken fällt
Jemand, mit dem du reden kannst
Jemand, mit dem du deinen Urlaub planst
Jemand, der dich auch einmal verletzt
Jemand, der mit Tränen deinen Arm benetzt
Jemand, dem du gerne hilfst
Jemand, mit dem du deinen Kummer stillst
Diesen Jemand wird es nur einmal für
dich geben
Es ist dein bester Freund in deinem Leben

Magie

Mit welchen Worten kann ich wohl
Beschreiben, was die Freundschaft ist
Du bist der eine, ich der and're Pol
Ein jeder sich vermisst

Wie Magnetismus fühlt sich's an
Es ist wie herrliche Magie
Und nichts, was man beschreiben kann
Ich träumte wie noch nie

Freundschaft

Bestehend aus einem Hauch von Liebe
Und ganz, ganz viel Vertrauen
Erfreut mit einem Lächeln
Ein aufeinander Bauen

Ein Gefühl gemischt mit Tränen
Zerrissen oft durch dummen Streit
Versöhnt mit ein paar Worten
Und purer Zufriedenheit

Ein Pakt geschlossen mit dem Herzen
Gemischt mit einem bisschen Glück
Verbunden mit einem Stückchen Wärme
Und auch erfüllt von Kritik

Genormt durch Gesellschaft und Verstand
Und doch so zärtlich und so rein
Das kann nur eine Freundschaft
Gepaart mit einem Hauch von Liebe sein

Bekanntschaften des Lebens

Viele Menschen in deinem Leben sind nichts weiter als flüchtige Bekannte
Eine Menge davon wirst du besser kennenlernen
Mit einigen wirst du sogar private Worte wechseln

Mit anderen pflegst du dich gut zu verstehen
Mit wenigen gerätst du in Streit
Ein paar wirst du hassen
Und nur einen Bruchteil von ihnen wirklich mögen

Selten wirst du einen unter ihnen finden, der ein wahrer Freund ist
Und nur ganz gering ist die Chance, den zu finden, den du lieben wirst

Gesammelte Augenblicke

Weißes Leben

Hinter kalten Fensterscheiben
Sitzen Leute groß und klein
Schauen zu dem lust'gen Treiben
Kommen nicht zur Ruh

Flocken tanzen rund ums Haus
Weiß sind Berg und Wald und Tal
Heute zieht es uns hinaus
Ohne große Qual

Rote Bäckchen, kalte Hände
Durchgepustet werden wir
Und die vielen Glühweinstände
Stehen da und dort und hier

Dick verhüllt und voll Vergnügen
Hineingestürzt ins weiße Leben
So viel wunderschönes Weiß
Sollte es viel öfter geben

Glückseligkeit

Ein Meer aus Weiß
Umhüllet jedes Haus
Ein Hütchen trägt ein jeder Baum
's ist wie in einem Traum

Ein langer Marsch
Durch helle Pracht
Gefroren liegt die Welt vor mir
Ich wünsche mich zu dir

Vom Himmel herab
Fallen Flocken, kalt und schwer
Umhüllt von tiefer, dunkler Nacht
Bin ich heut erwacht

Hab mich gerne umgeschaut
In der großen, weiten Welt
Und es begleitet mich
Ein Funken Glückseligkeit

Weihnachtszauber

Plattgedrückte Kindernasen
Hinter kalten Fensterscheiben
Nüsse knacken, Plätzchen duften
Lichterketten schmücken jedes Haus
Ruhe kehrt in uns're Herzen
Weihnachtszauber kommt heraus

Weihnachtslieder klingen an
Und köstlich steigt der Duft hinauf
Vom Glühwein, Braten und noch mehr
Vorfreude kommt daher

Die Hektik, sie ist nun vorbei
Ruhe senkt sich übers Feld
Gemeinsam schauen wir nach draußen
In die Winterwelt

Flocken tanzen, Glöckchen klingen
Fröhlich hüpfen wir hinaus
Bringen Freude zu den Menschen
Und auch wieder heim ins Haus

Und irgendwann ganz leis' und fein
Kommen Engel durch die Nacht
Hüllen mit den schönsten Liedern
Alles ein ganz sacht

Zauberei und frohe Herzen
Glücklich ist ein jedes Kind
Leise flackern nun die Kerzen
Freuen uns, dass wir beisammen sind

Gespenster

Gespenster stehen in der Nacht
So groß und stark und ohne Widerruf
Ein Wind bläst leise durchs Gewandt
Als hätt' er sie erkannt

So dunkel färbt die Nacht das Licht
So einsam wird das Land
Nur ab und zu hört man den Wind
Und Regen, wie er von den Dächern rinnt

Allein stehst du im Wald, auf Feld
Blickst nur durch dunkle Schleier
Gespenster fliegen durch die Nacht
Und weit entfernt dein Engel wacht

Neuanfang

Es ist wie ein Sonnenaufgang am
Morgen danach
Wie ein Leben nach dem Tod
Wie ein Neubeginn nach langer Zeit
des Dunkels

Die Wolken am Horizont brechen auf
Die Schwärze fliegt davon
Und langsam kehrt die Normalität zurück

Der Schritt zwischen Vergangenheit und
Zukunft ist weit
Den Graben zu überwinden fällt schwer

Doch um nicht stehen zu bleiben
Muss man einen neuen Anfang wagen

Glücksgefühle

Es ist eine heimliche Freude
In mir seit gestern Nacht
Es gibt so viele Leute
Die mich haben froh gemacht

Ich lief herum betrübt und schwer
War nicht glücklich und nicht froh
Doch bald schon merkte ich ganz sehr
Dass sich das nicht lohnt

Warum nicht das Beste daraus machen
Genießen und sich auch mal freu'n
All die schönen, tollen Sachen
Ohne zu bereu'n

Danksagung

Mit diesen Gedichten bedanke ich mich bei allen Menschen, die im Laufe meines bisherigen Lebens bei mir gewesen sind, mit denen ich gelacht, geweint, geliebt und gelebt habe. Ohne diese Menschen wären diese Gedichte nicht entstanden, denn sie erwachsen immer aus dem Leben selbst.

Und einer meiner Lieblingsdichter schrieb die Worte, die auf alle Zeiten immer wahr sein werden:

Dann wieder

Was keiner geglaubt haben wird
was keiner gewusst haben konnte
was keiner geahnt haben durfte
das wird dann wieder das gewesen sein
was keiner gewollt haben wollte

Erich Fried

Weitere Veröffentlichungen

Eine Mischung aus Krimi und Liebesgeschichte erwartet Sie in meinen beiden bereits erschienen Romanen *»Im Fokus der Vergangenheit«* und *»Im Fokus der Liebe«*.

Es sollte ein Neubeginn werden. Doch seiner Vergangenheit kann man nicht entfliehen. Das muss die 34-jährige Joselyn schmerzlich feststellen, als sie nach langer Zeit nicht ganz freiwillig zurück in ihre Heimatstadt San Diego zieht. Ihr neuer Job beim San Diego Police Department macht ihr Spaß und sie findet schnell Freunde unter ihren Kollegen. Ganz besonders angetan ist sie von Eric, einem smarten Detective, der sie mit seinen blauen Augen gleich am ersten Tag verzaubert. Zwischen ihnen sprühen die Funken und auf magische Weise fühlen sie sich zueinander hingezogen. Joselyn glaubt endlich sicher zu sein – ein fataler Fehler.

ISBN: 978-3-96200-120-9, **€ 12,90**, 359 Seiten

Die Fortsetzung zu »Im Fokus der Vergangenheit« erzählt nicht nur von den ungeahnten Herausforderungen, denen sich Joselyn und Eric plötzlich gegenübersehen, sie gibt auch einen Rückblick auf die vergangene Beziehung zwischen Eric und Claire.

„Wieso sind wir noch am Leben?“, frage ich sie und richte mich auf, was mir noch mehr Schmerzen verursacht.
„Weil ich ihnen alles gesagt habe, was sie wissen wollten“, flüstert sie mir zu und ich sehe, wie Tränen über ihre Wangen rinnen.

***

Eric kann den Tod seines besten Freundes nur schwer verkraften und dies belastet die beginnende Beziehung zu Joselyn. Während die beiden versuchen, sich über ihre Gefühle klar zu werden, gerät Claire unter Mordverdacht. Wird das neu zusammengestellte Team ihr helfen können? Und was ist eigentlich aus Miller, Samira und Harper geworden?

ISBN: 978-3-96200-235-0, **€ 12,90**, 449 Seiten

Lightning Source UK Ltd.
Milton Keynes UK
UKHW010919270620
365672UK00005B/1352